otras maneras
de usar la boca

otras maneras de usar la boca

Rupi Kaur

Traducción de Elvira Sastre

ESPASA ES POESÍA

Obra editada en colaboración con Espasa Libros, S.L.U. – España

Título original: *milk & honey*

Diseño de portada: Planeta Arte & Diseño

© 2015, rupi kaur
Publicado por primera vez en Estados Unidos por Andrews McMeel
Publishing, una división de Andrews McMeel Universal, Kansas City,
Misuri

© 2017, Traducción: Elvira Sastre

© 2017, Espasa Libros S.L.U. – Barcelona, España

Derechos reservados

© 2017, Editorial Planeta Mexicana, S.A. de C.V.
Bajo el sello editorial ESPASA M.R.
Avenida Presidente Masarik núm. 111, Piso 2
Polanco V Sección, Miguel Hidalgo
C.P. 11560, Ciudad de México
www.planetadelibros.com.mx

Primera edición impresa en España: enero de 2017
ISBN: 978-84-670-4902-2

Primera edición impresa en México: marzo de 2017
Décima cuarta reimpresión en México: enero de 2023
ISBN: 978-607-07-4020-6

Impreso en los talleres de Litográfica Ingramex, S.A. de C.V.
Centeno núm. 162-1, colonia Granjas Esmeralda, Ciudad de México
Impreso en México - *Printed in Mexico*

para
los brazos
que me sostienen

prólogo

El día que me encargaron la traducción de rupi kaur sonreí con ilusión, como el niño que desenvuelve el regalo que ha pedido.

Disfruto de la traducción por dos motivos. Primero, por la satisfacción inmensa de encontrar luz entre un montón de palabras revueltas y escondidas en una habitación a oscuras. La traducción es como un amor, te da tantos quebraderos de cabeza como estallidos de alegría. El hecho de tener de nuevo la oportunidad de traducir un poemario es algo excitante para mí, pues aunque los teóricos insistan en la imposibilidad de traducir poesía, yo lo entiendo como un reto y como un deber para con el lector de mi idioma. Es importante traer a autores de otras lenguas y otras culturas para conocer lo que sucede en el alma de los poetas que habitan otras tierras. Yo sí creo que la traducción de poesía es posible. Y kaur, sin duda, es un acierto editorial con el que espero haber sido capaz de demostrarlo.

En segundo lugar, disfruto porque traducir poesía, en particular, conlleva entablar una relación muy especial con su autor. Confieso que siempre he evitado saber demasiado sobre los creadores de mis poemas favoritos. Uno se puede imaginar la desazón que supone descubrir que las manos que han escrito algunos de los poemas que han marcado una vida resulten ser, también, las de una persona maleducada, un farsante o, simplemente, alguien insoportable. Imagínense el dilema. Mejor no arriesgarse.

Sin embargo, hay autores que irradian luz desde el principio, que son personas antes que escritores, que te dan la mano con la misma pasión con la que escriben. Existen, sí, por suerte. Poetas en la hoja y en la vida. Se me ocurren unos cuantos nombres.

Cuando se traduce poesía, esta relación personal y casi siempre unilateral entre traductor y autor sucede de una manera natural, está ligada a los versos. El traductor se zambulle en las palabras más personales de otro, las lee, las analiza, las entiende y las hace suyas reescribiéndolas. Así, cada vez que acaba de traducir un poema siente que lo ha vivido, reposado y escrito él mismo. Esta conexión más allá de las palabras se da cuando uno termina el libro, contempla su trabajo y vuelve a él pasado un tiempo, con ojos ajenos para su corrección. Es entonces cuando observa la obra inédita de alguien y se siente un afortunado por ese cargo de primer testigo.

Lo que me ha pasado con rupi kaur ha sido consecuencia de su poesía. Con una crudeza y una sinceridad envidiables, esta mujer con la que comparto —no sin sorpresa— edad da una lección de vida y de sabiduría que no deja intacto a nadie. Lo sé porque el golpe ya lo había recibido al leerla, hace meses, por recomendación de una amiga maravillosa. Lo sé porque al hacerlo de nuevo ahora, con profundidad, no he rescatado sentimientos sino que he creado unos nuevos, igual de poderosos, y eso sólo lo consiguen los buenos poemas. Lo sé porque he temblado al traducir ciertos versos, he llorado al escribir otros, he sonreído con algunos al imaginar su paz, tan merecida, concibiéndolos, y otros, para mi sorpresa, me han curado.

kaur se mueve con una experiencia dolorosamente

desacorde a su juventud a través de temas como el abuso o la desigualdad. Sorprende la tranquilidad con la que ejecuta las palabras, como si todos sus traumas fueran monstruos que no han desaparecido pero que ya no le dan miedo. Desde el poder que le dan su nombre y todas las mujeres que ella llama hermanas, la poeta india alza la voz por la igualdad, dispara contra unos estereotipos absurdos que encadenan a más de la mitad de la población, pierde el miedo y defiende, con uñas y dientes, a la mujer. Su poder llena de fuerza a quien la lee. Con acierto, y después del dolor, desprende poemas sobre el amor más puro: habla de la pérdida de los escudos y quiere y se deja querer mostrándolo sin miedo. Irremediablemente, como en la vida, después de un gran amor llega una gran ruptura, y la poeta se vacía en unos versos cargados de nostalgia, anhelo, algunos con una tierna resistencia y otros con una aceptación melancólica de lo que es inevitable que suceda. Lo maravilloso ocurre al final del libro, donde rupi kaur da la vuelta al camino trazado y regresa con valentía al principio de todas las cosas. Lo cuenta de una manera tan sencilla que parece fácil, y en cierto modo lo es: la poeta te enseña que eres tú mismo el responsable de tu salvación.

rupi es una mujer fuerte, extraordinaria, inteligente y valiente, adjetivos que ella usa en sus poemas y en los que yo la veo fielmente reflejada. A kaur la vida la ha hecho poeta y ella ha hecho poesía de la vida y eso, en un mundo lleno de ruido, se parece al silencio. El mismo silencio que se necesita para comenzar esta lectura, que empieza siendo de ella y termina siendo tuya.

ELVIRA SASTRE

anoche mi corazón me despertó llorando
cómo puedo ayudarte le rogué
mi corazón contestó
escribe el libro

índice

el
daño

cómo te resulta tan fácil
ser amable con la gente preguntó

la leche y la miel gotearon
desde mis labios al contestar

porque la gente no
ha sido amable conmigo

el primer chico que me besó
me apretó los hombros
como al manillar de
la primera bicicleta
en la que se montó
yo tenía cinco años

sus labios olían
al hambre
que aprendió de cuando
su padre devoraba a su madre a las cuatro de la mañana

fue el primer chico
que me enseñó que mi cuerpo servía
para dárselo a aquellos que querían
que me sintiera cualquier cosa
menos completa

y por dios
me sentí tan vacía
como su madre a las cuatro y veinticinco de la mañana

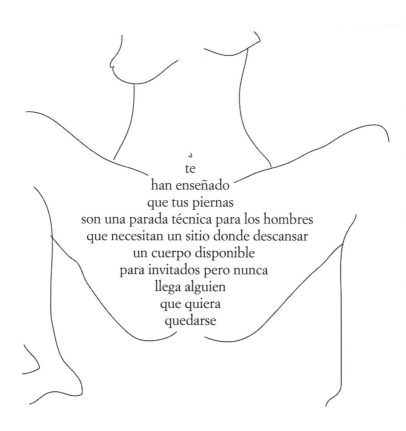

te
han enseñado
que tus piernas
son una parada técnica para los hombres
que necesitan un sitio donde descansar
un cuerpo disponible
para invitados pero nunca
llega alguien
que quiera
quedarse

es tu sangre
la que corre por mis venas
dime cómo se supone
que voy a olvidar

el terapeuta coloca
la muñeca delante de ti
es del tamaño de las niñas
que a tus tíos les gustaba tocar

señala dónde estaban sus manos

apuntas con el dedo el lugar que hay
entre sus piernas aquel
donde metió el suyo
como una confesión

cómo te sientes

te sacas el nudo
de la garganta
con los dientes
y dices *bien*
en realidad no siento nada

— sesiones entre semana

iba a ser
el primer hombre al que amaras en tu vida
todavía lo buscas
por todas partes

– *padre*

tenías tanto miedo
de mi voz
que decidí tener
miedo yo también

ella era una rosa
en las manos de aquellos
que no tenían intención
de conservarla

cada vez que
le hablas a tu hija
que le gritas
sin amor
le enseñas a confundir
la rabia con la amabilidad
lo que parece una buena idea
hasta que crece y
confía en hombres que le hacen daño
porque se parecen demasiado
a ti

– a los padres con hijas

he tenido sexo dijo
pero no sé
lo que se siente
al hacer el amor

si hubiera sabido a
qué se parece la seguridad
habría perdido menos
tiempo cayendo en
brazos que no me la daban

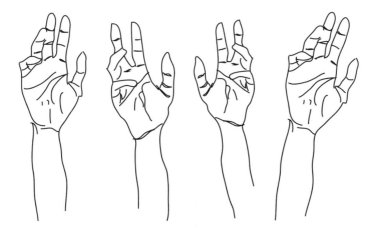

el sexo supone el consentimiento de dos
si una persona está tumbada sin hacer nada
porque no está preparada
o no está de humor
o simplemente no quiere
y aun así la otra está teniendo sexo
con su cuerpo no es amor
es violación

la idea de que somos
capaces de amar
pero seguimos eligiendo
ser tóxicos

no hay mayor espejismo en el mundo
que la idea de que una mujer lleve
la deshonra a su casa
por intentar mantener su corazón
y su cuerpo a salvo

sujetaste
mis piernas
contra el suelo
con los pies
y me exigiste
que me levantara

la violación
te partirá
por la mitad

pero
no
terminará contigo

hay tristeza
viviendo en partes de ti
en las que la tristeza no debería vivir

una hija no debería
tener que
suplicar a su padre
una relación

intentar convencerme a mí misma
de que tengo derecho
a ocupar un espacio
es como escribir
con la mano izquierda
cuando nací
para usar la derecha

— *la idea de hacerse pequeño es hereditaria*

me dices que me calme porque
mis opiniones me hacen menos guapa
pero no he nacido con un fuego en el vientre
para que puedan apartarme
no he nacido con una lengua rápida
para que puedan tragarme con facilidad
he nacido fuerte
mitad cuchilla mitad seda
difícil de olvidar y nada fácil
de seguir

la destripa
con los dedos
como si arañara
el interior
de un melón vacío

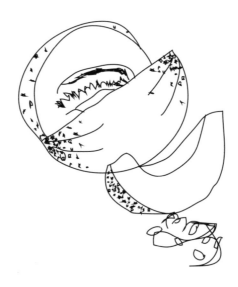

tu madre
tiene la costumbre
de ofrecer más amor
del que puedes soportar

tu padre está ausente

tú eres la guerra
el límite entre dos países
el daño colateral
la paradoja que une a los dos
pero también los separa

salir del vientre de mi madre
fue mi primer acto de desaparición
aprender a empequeñecer por una familia
a la que le gusta la invisibilidad de sus hijas
fue el segundo
el arte de estar vacío
es simple
creerles cuando dicen
que no eres nada
repetírtelo a ti misma
como un deseo
no soy nada
no soy nada
no soy nada
tan a menudo
la única razón por la que sabes
que sigues viva es
por el peso en tu pecho

– *el arte de estar vacío*

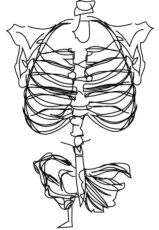

te pareces a tu madre

      supongo que llevo conmigo su ternura

tenéis los mismos ojos

      porque las dos estamos agotadas

y las manos

      tenemos los mismos dedos marchitos

pero la rabia tu madre no tiene ese odio

      tienes razón
      esta rabia es lo único
      que saqué de mi padre

(homenaje a *herencia*, de warsan shire)

cuando mi madre abre la boca
para tener una conversación durante la cena
mi padre mete la palabra silencio
entre sus labios y le dice que
no hable nunca con la boca llena
así es como las mujeres de mi familia
aprendieron a vivir con la boca cerrada

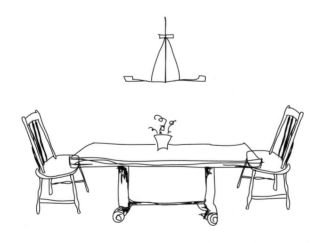

a nuestras rodillas
las fuerzan a abrirse
los primos
y los tíos
y los hombres
a nuestros cuerpos los tocan
todas las personas equivocadas
que incluso en una cama llena de seguridad
tememos

padre. siempre llamas para no contar nada en particular. me preguntas qué estoy haciendo o dónde estoy y cuando el silencio entre nosotros se estira como la vida me cuesta encontrar preguntas para continuar la conversación. lo que quiero decirte es. que entiendo que este mundo te rompiera. ha sido difícil para ti. no te culpo por no saber cómo ser tierno conmigo. a veces me quedo despierta pensando en todos los lugares donde te duele y que nunca mencionarás. vengo de la misma sangre dolorida. del mismo hueso tan desesperado por atención que me derrumbo. soy tu hija. sé que hablar de cosas sin importancia es la única manera de que sepas cómo decirme que me quieres. porque es la única manera de saber cómo decirte que te quiero.

te abres paso dentro de mí con dos dedos y me estremezco. es como si pasaras una goma contra una herida abierta. no me gusta. empiezas a empujar más y más rápido. pero no siento nada. buscas una reacción en mi cara así que me pongo a actuar como las mujeres desnudas que salen en los vídeos que ves cuando crees que nadie está mirando. imito sus gemidos. vacíos y hambrientos. me preguntas si me gusta y digo *sí* tan rápidamente que parece ensayado. porque es una actuación. no te das cuenta.

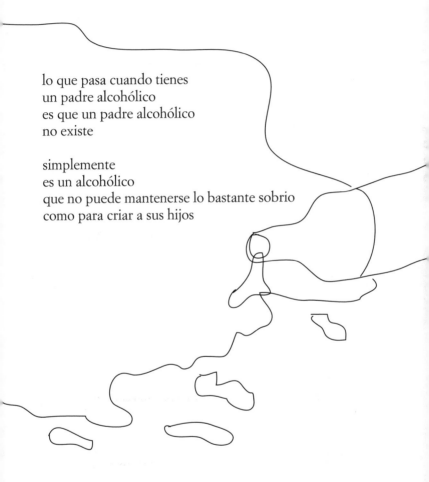

lo que pasa cuando tienes
un padre alcohólico
es que un padre alcohólico
no existe

simplemente
es un alcohólico
que no puede mantenerse lo bastante sobrio
como para criar a sus hijos

no sé si mi madre está
asustada o enamorada
de mi padre
todo me parece lo mismo

me encojo cuando me tocas
me asusta que sea él

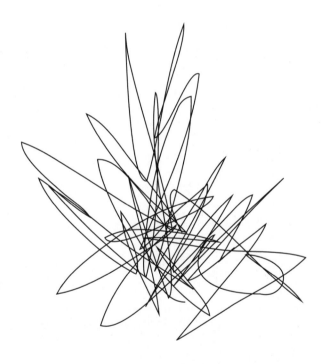

el

amor

cuando mi madre se quedó embarazada
de su segundo hijo yo tenía cuatro años
le señalé el vientre abultado confusa por cómo
mi madre se había puesto tan grande en tan poco tiempo
mi padre me levantó con sus brazos como troncos de árbol
y dijo la cosa más cercana a dios en esta tierra
es el cuerpo de una mujer es donde surge la vida
y tener a un hombre adulto contándome algo
tan poderoso a una edad tan temprana
me cambió la manera de mirar el universo entero
recostada a los pies de mi madre

me cuesta mucho
entender
cómo alguien puede
poner toda su alma
sangre y energía
en alguien
sin querer
nada
a cambio

– tendré que esperar a ser madre

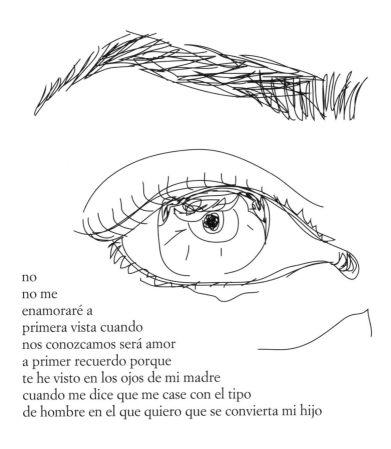

no
no me
enamoraré a
primera vista cuando
nos conozcamos será amor
a primer recuerdo porque
te he visto en los ojos de mi madre
cuando me dice que me case con el tipo
de hombre en el que quiero que se convierta mi hijo

toda revolución
comienza y termina
con sus labios

qué soy yo para ti pregunta
pongo las manos sobre su regazo
y le susurro *eres*
toda la esperanza
que he tenido
en forma humana

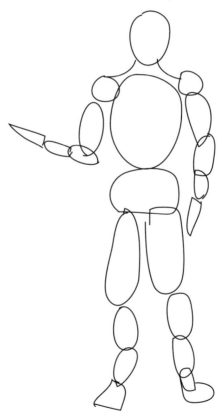

mi parte favorita de ti es tu olor
hueles a
tierra
hierbas
jardines
un poco más
humano que el resto de nosotros

sé que
debería derrumbarme
por motivos más importantes
pero has visto
a ese chico él consigue
que el sol
se arrodille cada
noche

eres la línea tenue
entre la fe y
la espera ciega

– carta a mi futuro amante

nada es más seguro
que el sonido de tu voz
leyendo en voz alta para mí

– la cita perfecta

colocó sus manos
en mi mente
antes de llegar hasta
mi cintura
mis caderas
o mis labios
no me llamó
preciosa la primera vez
me llamó
exquisita

– cómo me toca

estoy aprendiendo
a quererlo
queriéndome a mí misma

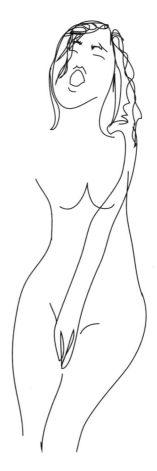

dice
siento no ser una persona fácil de querer
lo miro sorprendida
quién dijo que quería algo fácil
no deseo lo fácil
maldita sea deseo lo difícil

pensar en ti
me abre las piernas
como un caballete con un lienzo
suplicando arte

estoy preparada para ti
siempre he
estado
preparada para ti

– *la primera vez*

no quiero tenerte
para que llenes las partes vacías de mí
quiero llenarme por mí misma
quiero estar tan completa
que pueda alumbrar una ciudad entera
y entonces
quiero tenerte
porque la mezcla de los dos
podría incendiarla

el amor llegará
y cuando el amor llegue
el amor te abrazará
el amor te llamará por tu nombre
y te derretirás
a veces sin embargo
el amor te hará daño pero
el amor nunca querrá hacerte daño
el amor no jugará a ningún juego
porque el amor sabe que la vida
ya ha sido bastante difícil

estaría mintiendo si dijera
que me dejas sin palabras
la verdad es que dejas
a mi lengua tan débil que se le olvida
qué idioma habla

me pregunta qué hago
le digo que trabajo para una empresa pequeña
que hace embalajes para…
me interrumpe a mitad de la frase
no qué haces para pagar las facturas
sino qué te vuelve loca
qué te mantiene despierta por las noches

le digo *escribo*
me pide que le enseñe algo
pongo las puntas de mis dedos
en su antebrazo
y le rozo hasta la muñeca
la piel de gallina sale a la superficie
veo cómo su boca se contrae
los músculos se tensan
sus ojos leen con atención los míos
como si yo fuera el motivo
que les hace parpadear
aparto la mirada justo cuando
se pone a centímetros de mí
doy un paso atrás

así que esto es lo que haces
llamas la atención
mis mejillas se sonrojan mientras
sonrío con timidez
y confieso
no puedo evitarlo

puede que no hayas sido mi primer amor
pero fuiste el amor que convirtió
a todos los demás amores
en irrelevantes

me has tocado
sin ni siquiera
tocarme

cómo conviertes
un bosque en llamas como yo
en algo tan suave que me convierto
en una cascada de agua

es como si olieras
a miel sin dolor
déjame probar un poco de eso

tu nombre tiene
la connotación positiva y negativa
más fuerte de cualquier idioma
tan pronto me ilumina como
me deja dolorida durante días

hablas demasiado
me susurra al oído
se me ocurren otras maneras de usar la boca

es tu voz
la que me desviste

mi nombre suena tan bien
dándose un beso francés con tu lengua

enredas los dedos
en mi pelo
y tiras
así
es como sacas
música de mí

– preliminares

en días
como éste
necesito que
pases tus dedos
entre mi pelo
y hables en voz baja

– tú

quiero que tus manos
no agarren
mis manos
que tus labios
no besen
mis labios
sino otras partes

necesito a alguien
que sepa luchar
tan bien como yo
alguien
dispuesto a acoger mis pies en su regazo
en esos días en los que sea muy difícil mantenerse de pie
el tipo de persona que dé
exactamente lo que necesito
antes de que sepa siquiera que lo necesito
el tipo de amante que me escuche
aunque no hable
ése es el tipo de comprensión
que pido

– el tipo de amante que necesito

mueves mi mano
entre mis piernas
y susurras
haz que bailen para mí esos pequeños dedos preciosos

– actuación solista

hemos discutido más de lo que deberíamos. sobre cosas
que ninguno de los dos recuerda o le interesan porque
así es como evitamos lo más importante. en vez de
preguntarnos por qué no nos decimos *te quiero* tan a
menudo como antes. peleamos por cosas como: quién se
suponía que iba a levantarse y apagar las luces primero. o
quién iba a meter la pizza congelada en el horno después
del trabajo. recibimos golpes en lo más vulnerable de
cada uno. somos como dedos entre espinas, cariño.
sabemos exactamente dónde duele.

y todo está sobre la mesa esta noche. como aquella vez en
la que susurraste un nombre que estoy bastante segura de
que no era el mío mientras dormías. o la semana pasada
cuando dijiste que te quedabas a trabajar hasta tarde. así
que llamé al trabajo pero dijeron que te habías ido un par
de horas antes. dónde estuviste esas dos horas.

lo sé. lo sé. tus excusas tienen todo el sentido del mundo.
y a veces me preocupo sin motivo y me pongo a llorar.
pero qué otra cosa esperabas, cariño. te quiero mucho.
siento haber creído que estabas mintiendo.

es entonces cuando pones las manos sobre la cabeza
con frustración. casi rogándome que pare. a punto
del cansancio y el hastío. el veneno de nuestras bocas
ha hecho agujeros en las mejillas. parecemos menos
vivos que antes. con menos color en la cara. pero no
te engañes. no importa lo mal que se ponga, ambos
sabemos que todavía quieres clavarme al suelo.
en especial cuando grito tan fuerte que nuestras peleas
despiertan a los vecinos. y vienen corriendo hasta la
puerta para salvarnos. amor, no abras.

en vez de eso. túmbame. ábreme como un mapa. y con
el dedo marca los sitios donde aún quieres f*******
con fuerza. bésame como si fuera el punto central de
gravedad y te estuvieras cayendo en mí, como si mi
alma fuera el punto de referencia de la tuya. y cuando
tu boca bese no mi boca sino otros sitios. mis piernas se
separarán como de costumbre. y será entonces cuando te
empuje hacia dentro. bienvenido. a casa.

cuando toda la calle esté mirando por la ventana
preguntándose qué es todo ese ruido. y los bomberos
entren para salvarnos pero no puedan distinguir si las
llamas vienen de nuestra rabia o de nuestra pasión.
sonreiré. inclinaré la cabeza hacia atrás. arquearé mi
cuerpo como una montaña que quieras partir en dos.
amor, lámeme.

como si tu boca tuviera el don de leer y yo fuera tu libro
favorito. encuentra tu página favorita en el punto débil
que tengo entre las piernas y léelo despacio. con fluidez.
con intensidad. no te atrevas a dejar una sola palabra
sin tocar. y te juro que el final será bueno. las últimas
palabras llegarán. corriendo a tu boca. cuando hayas
terminado. siéntate. porque me toca a mí hacer música
con las rodillas sobre el suelo.

dulce amor. así. es como sacamos el idioma el uno al otro
con el golpe de nuestras lenguas. así es como tenemos
una conversación. así. es como nos reconciliamos.

– *cómo nos reconciliamos*

la
ruptura

siempre
me meto sola
en este lío
siempre le dejo
decirme que soy preciosa
y casi me lo creo
siempre salto creyendo
que me cogerá
cuando caiga
amo
y sueño
sin remedio
y ésa será
mi muerte

cuando mi madre dice que merezco algo mejor
salto para defenderte como siempre
todavía me quiere grito
me mira con derrota en los ojos
de la manera en la que un padre mira a su hijo
cuando sabe que éste es un tipo de dolor
que ni ellos pueden arreglar
y dice
no significa nada que te quiera
si no puede hacer ni una maldita cosa al respecto

estabas tan distante
que olvidé siquiera que estabas ahí

dijiste. si tiene que pasar. el destino nos hará volver juntos. durante un segundo me pregunto si de verdad eres así de ingenuo. si realmente crees que el destino funciona así. como si viviera en el cielo y nos mirara desde arriba. como si tuviera cinco dedos y pasara el tiempo colocándonos como piezas de ajedrez. como si no fueran las decisiones que tomamos las que. quién te enseñó eso. dime. quién te convenció. te han dado un corazón y una mente que no te corresponde usar. tus acciones no definen quién serás. quiero chillar y gritar *somos nosotros, idiota. somos los únicos que podemos hacer que volvamos.* pero en vez de eso me siento en silencio. sonrío tímidamente a través de mis labios temblorosos y pienso. es trágico. cuando puedes verlo con tanta claridad pero la otra persona no lo hace.

no confundas
sal con azúcar
si quiere
estar contigo
estará contigo
es así de simple

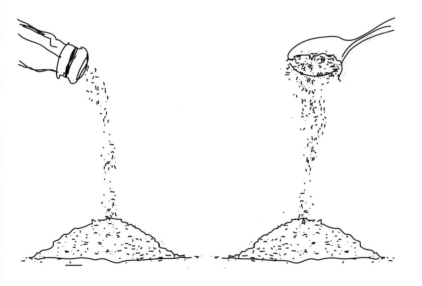

lo único que hace es murmurar *te quiero*
mientras desliza las manos
por debajo de la cintura
de tus pantalones

aquí es cuando debes
entender la diferencia
entre querer y necesitar
puede que quieras a ese chico
pero sin duda
no lo necesitas

eras tentadoramente hermoso
pero pinchabas cuando me acercaba

la mujer que viene después de mí será una versión pirata de mí misma. lo intentará, y te escribirá poemas para que borres aquellos que he dejado memorizados en tus labios, pero sus versos nunca podrán golpearte por dentro como lo hacían los míos. entonces, intentará hacerle el amor a tu cuerpo. pero nunca va a lamerte, acariciarte o chuparte como yo. será una triste sustitución de la mujer que dejaste ir. nada de lo que haga te excitará y eso la romperá. cuando se canse de romperse por un hombre que no le devuelve lo que ella le da me reconocerá en tus párpados mirándola con pena y lo entenderá. cómo puede amar a un hombre que está ocupado queriendo a alguien a quien no puede volver a tocar.

la próxima vez
que te pidas el café solo
probarás el amargo
estado en el que te ha dejado
te hará llorar
pero nunca
pararás de beberlo
prefieres tener
las partes más oscuras de él
que no tener nada

más que cualquier otra cosa
quiero salvarte a ti
de mí misma

has pasado demasiadas noches
con su hombría escondida dentro de tus piernas
como para olvidar lo que es la soledad

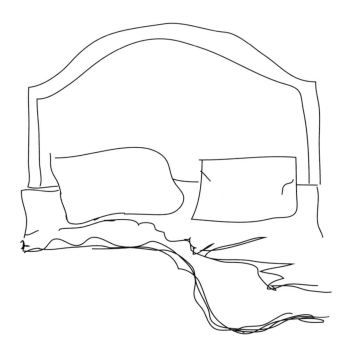

murmuras
te quiero
cuando lo que quieres decir es
no quiero que te vayas

de eso
trata el amor
macera tus labios
hasta que la única palabra
que recuerda tu boca
es su nombre

debe doler saber
que soy tu más
hermoso
pesar

no me fui porque
dejara de quererte
me fui porque cuanto más tiempo
me quedaba menos
me quería a mí misma

no debes obligarles
a que te quieran
deben quererte por ellos mismos

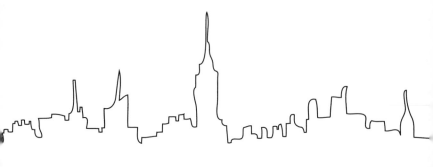

creíste que era una ciudad lo bastante
grande como para una escapada de fin de semana
soy el pueblo que la rodea
aquel del que nunca has oído hablar
pero siempre cruzas
aquí no hay luces de neón
ni rascacielos ni estatuas
pero hay un trueno
con el que hago temblar los puentes
no soy comida de la calle soy espesa
mermelada casera lo más dulce
que tocarán tus labios
no soy sirenas de policía
soy el crujido de una chimenea
te quemaría y aun así
no podrías dejar de mirarme
porque estoy tan guapa cuando lo hago
que te sonrojas
no soy una habitación de hotel soy un hogar
no soy el whisky que quieres
soy el agua que necesitas
no vengas aquí con expectativas
de convertirme en tus vacaciones

aquel que venga después de ti
me recordará que el amor
ha de ser algo tierno

tendrá el sabor
de la poesía
que desearía poder escribir

si
no puede evitar
degradar a otras mujeres
cuando no están mirando
si el veneno es parte
de su lenguaje
podría recogerte
en su regazo y ser tierno
cariño
ese hombre podría alimentarte de azúcar
y bañarte en agua de rosas
pero aun así eso no le convertiría
en alguien dulce

– si quieres saber el tipo de hombre que es

soy un museo lleno de arte
pero tenías los ojos cerrados

tienes que haberte dado cuenta
de que estabas equivocado
cuando tus dedos
se hundieron dentro de mí
buscando la miel
que no saldría para ti

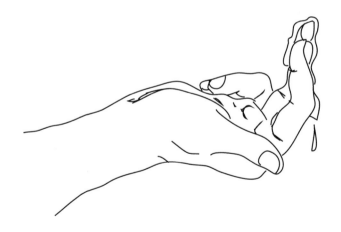

aquello
por lo que merece la pena esperar
no habría que dejarlo escapar

cuando estés rota
porque te ha dejado
no te preguntes
si fuiste
suficiente
el problema fue
que fuiste tanto
que no fue capaz de soportarlo

mi amor confundió tu peligro
con mi seguridad

incluso al desnudarla
me buscas a mí
siento
saber tan bien
cuando vosotros dos
hacéis el amor es
mi nombre el que aún
cae de tu
lengua por accidente

los tratas como si
tuvieran un corazón como el tuyo
pero no todo el mundo puede ser
tan dulce y tan tierno

no ves las personas
que son
ves las personas
en las que pueden convertirse

das y das hasta
que sacan todo de ti
y te dejan vacía

tuve que irme
me cansé de
permitirte
hacerme sentir
todo
menos completa

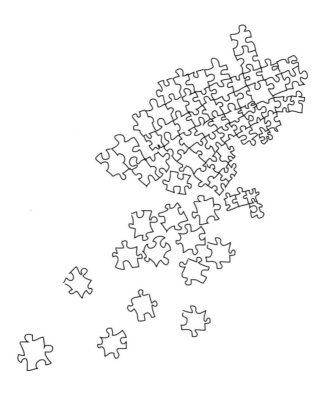

eras lo más precioso que había sentido hasta ahora. y
estaba convencida de que serías lo más precioso que iba
a sentir siempre. sabes cómo limita eso. pensar que a
una edad tan temprana ya he conocido a la persona más
estimulante de mi vida. cómo voy a pasar el resto de mi
vida conformándome. pensar que he probado la miel
más pura y que todo lo demás será refinado y sintético.
que nada después de esto sumará. que ni juntando todos
los años que me esperan podrán ser más dulces que tú.

— *falsedad*

no sé qué es una vida equilibrada
cuando estoy triste
no lloro me vierto
cuando estoy feliz
no sonrío brillo
cuando estoy enfadada
no grito ardo

lo bueno de vivir en los extremos es
que cuando amo doy alas
pero quizá eso
no sea algo tan bueno porque
siempre tienden a irse
y deberías verme
cuando se me rompe el corazón
no me duele
me hago añicos

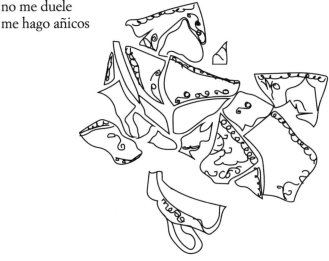

he venido hasta aquí
para darte todas esas cosas
pero ni siquiera estás mirando

la abusada
y la
abusadora

– he sido ambas

te estoy desatando
de mi piel

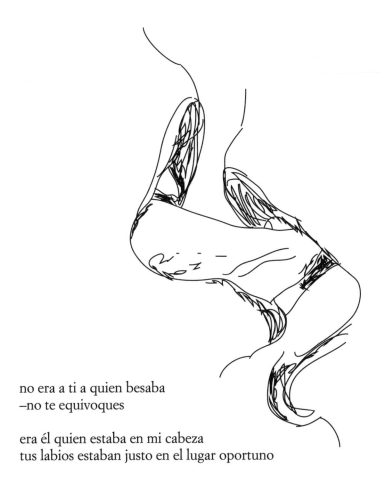

no era a ti a quien besaba
–no te equivoques

era él quien estaba en mi cabeza
tus labios estaban justo en el lugar oportuno

siempre vuelve a ti
bultos
círculos
irritaciones
su manera de volver a ti

yo era música
pero tú te habías cortado las orejas

mi lengua está agria
por el hambre de
extrañarte

no te haré
construirme en tu vida
cuando
lo que quiero es
construir una vida contigo

– la diferencia

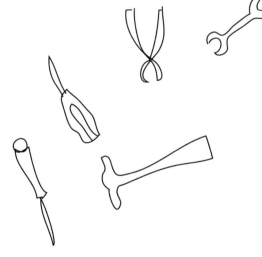

ríos caen desde mi boca
las lágrimas que mis ojos no pueden soportar

tienes la piel de serpiente
y sigo mudándote de alguna manera
mi cabeza está olvidando
cada detalle exquisito
de tu cara
dejar ir se ha
convertido en olvidar
que es lo más
placentero y triste
que ha pasado

no te equivocaste al irte
te equivocaste al volver
y pensar
que podías tenerme
cuando fuera conveniente
y marcharte cuando no

cómo puedo escribir
si se llevó mis manos
con él

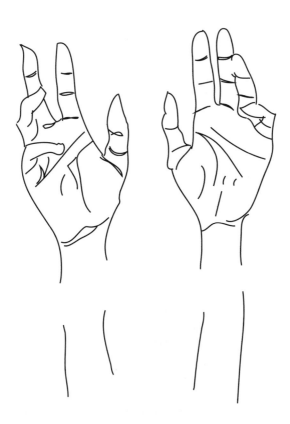

ninguno de los dos es feliz
pero ninguno de los dos quiere irse
así que seguimos rompiéndonos
y llamándolo amor

comenzamos
con sinceridad
deja que terminemos
así también

– nosotros

tu voz
por sí sola
me hace
llorar

no sé por qué
me abro en dos
para los demás sabiendo
que coserme a mí misma
duele tanto
después

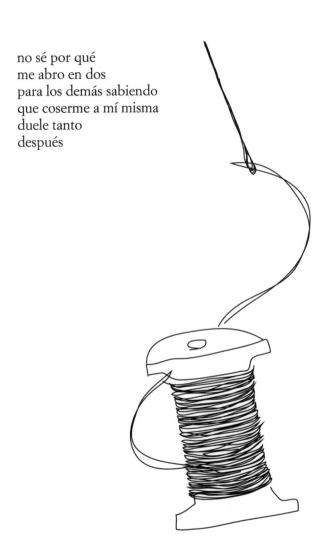

la gente se va
pero siempre
se queda
su manera de irse

el amor no es cruel
nosotros somos crueles
el amor no es un juego
nosotros hemos convertido en un juego
al amor

cómo puede morir nuestro amor
si está escrito
en estas páginas

incluso después del daño
de la pérdida
de la pena
de la ruptura
tu cuerpo es todavía
el único
bajo el que quiero
estar desnuda

la noche después de que te marcharas
me desperté tan rota
que el único sitio donde pude poner mis trozos
fue en las bolsas debajo de mis ojos

quédate
susurré
mientras tú
cerrabas la puerta tras de ti

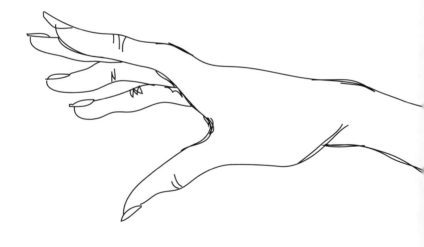

estoy convencida de que lo he superado. tanto que algunas mañanas me despierto con una sonrisa en la cara y mis manos se juntan agradeciendo al universo haberte sacado de mí. gracias a dios que lloro. gracias a dios que te fuiste. no sería el imperio que soy ahora si te hubieras quedado.

pero entonces.

hay algunas noches en las que imagino lo que haría si aparecieras. cómo, si entraras en la habitación en este mismo instante, lanzaría por la ventana más cercana todas las cosas horribles que has hecho y todo el amor resurgiría de nuevo. se derramaría por mis ojos como si nunca se hubiera marchado. como si llevara todo este tiempo practicando cómo estar en silencio para hacer todo este ruido cuando llegaras. puede explicármelo alguien. cómo cuando el amor se va. no se va. cómo cuando te he dejado atrás. vuelvo irremediablemente a ti.

no va a volver
susurró mi cabeza
tiene que hacerlo
sollozó mi corazón

– *marchitándome*

no quiero que seamos amigos
yo lo quiero todo de ti

– *más*

voy perdiendo partes de ti igual que pierdo pestañas
sin saberlo y por todas partes

no puedes irte
y también tenerme
no puedo existir en
dos sitios a la vez

— cuando me preguntas si podemos seguir siendo amigos

soy agua

lo bastante suave
como para ofrecer vida
lo bastante dura
como para ahogarla

lo que más echo de menos es cómo me querías. pero
lo que no sabía era que tu manera de quererme tenía
tanto que ver con la persona que yo era. era un reflejo de
todo lo que te di. volviendo a mí. cómo no lo vi. cómo.
me quedé sentada asimilando la idea de que nadie me
querría nunca igual. cuando fui yo la que te enseñé.
cuando fui yo la que te mostré cómo completarme. de
la manera que necesitaba. qué cruel por mi parte. darte
el mérito de mi cariño sólo porque tú lo sentiste. pensar
que fuiste tú el que me daba fuerza. humor. belleza. sólo
porque los reconociste. como si yo no fuera todas esas
cosas antes de conocerte. como si no siguiera aquí una
vez te fuiste.

te fuiste
pero no te vas del todo
por qué lo haces
por qué
abandonas aquello que quieres guardar
por qué te quedas
en un sitio donde no quieres estar
por qué crees que está bien hacer ambas cosas
irte y volver a la vez

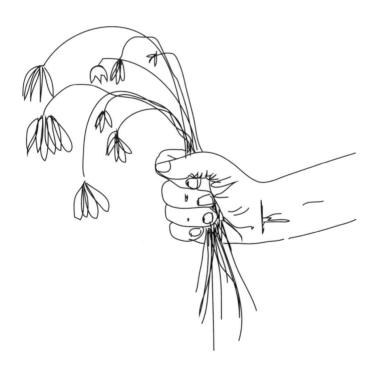

te voy a hablar de las personas egoístas. aunque saben que te van a hacer daño, entran en tu vida para probarte, porque eres el tipo de persona que no quieren dejar pasar. brillas demasiado como para no darse cuenta. así que cuando han echado un vistazo a todo aquello que tienes que ofrecer. cuando se han llevado con ellos tu piel tu pelo tus secretos, cuando se dan cuenta de lo real que es esto. la tormenta que eres y esto les da de frente.

es entonces cuando aparece la cobardía. cuando las personas que pensabas que eran se sustituyen por la tristeza de lo que son en realidad. cuando pierden cada hueso luchador de su cuerpo y se van después de decir *encontrarás a alguien mejor que yo.*

te quedarás ahí desnuda con la mitad de ellos escondida en algún lugar dentro de ti y llorarás. preguntándoles por qué lo hicieron, por qué te obligaron a quererlos cuando no tenían intención de corresponderte y dirán algo como *tenía que intentarlo. tenía que darle una oportunidad. fuiste tú, después de todo.*

pero eso no es romántico. no es dulce. el hecho de que tu existencia los anulara tanto que tuvieran que arriesgarse a romperla sólo para no ser los únicos en quedarse fuera. tu existencia no significó nada al lado de la curiosidad que les despertabas.

esto es lo que pasa con las personas egoístas. apuestan
todo un ser. toda un alma para complacerse a sí mismos.
en un segundo te abrazan como si tuvieran el mundo
en su regazo y al siguiente te rebajan a una simple
fotografía. a un momento. a algo del pasado. un segundo.
te engullen y susurran que quieren pasar el resto de su
vida contigo. pero cuando sienten miedo. ya están de
camino a la puerta. sin tener el valor de irse con
elegancia. como si el corazón humano no significara nada
para ellos.

y después de todo esto. después de lo que se llevan. del
valor. es triste y gracioso ver cómo la gente tiene más
agallas para desvestirte con las manos que para coger
el teléfono y llamar. disculparse por la pérdida. y así es
como la pierdes.

– *egoísmo*

lista de tareas (después de la ruptura):

1. haz de tu cama un refugio.
2. llora, hasta que paren las lágrimas (esto llevará unos días).
3. no escuches canciones lentas.
4. borra su número de la agenda aunque tus dedos se lo sepan de memoria.
5. no mires fotos antiguas.
6. encuentra la heladería más cercana y recétate un helado de dos bolas de menta con pepitas de chocolate. la menta calmará tu corazón. el chocolate te lo mereces.
7. compra sábanas nuevas.
8. junta los regalos, las camisetas y todo lo que huela a él y dónalo a un centro de recogida.
9. organiza un viaje.
10. perfecciona el arte de sonreír y asentir cuando alguien saque su nombre en una conversación.
11. empieza un proyecto nuevo.
12. hagas lo que hagas. no le llames.
13. no supliques a quien no quiere quedarse.
14. deja de llorar en algún momento.
15. permítete sentirte ingenua por creer que podías construir el resto de tu vida en el estómago de otra persona.
16. respira.

la manera
en la que se van
lo dice
todo

la
cura

quizá
no merezco
cosas bonitas
porque estoy pagando
por pecados
que no recuerdo

lo que pasa con la escritura es
que no puedo saber si me está curando
o destrozando

no te molestes en aferrarte a
aquello que no te quiere

– no puedes hacer que se quede

debes tener una relación
contigo misma
antes que con cualquiera

acepta que mereces más
que un amor dañino
la vida sigue
lo más sano
para tu corazón
es seguir con ella

es parte
de la experiencia humana sentir dolor
no tengas miedo
a abrirte a él

– evolución

la soledad es una señal de que te necesitas
a ti misma de una manera desesperada

estás acostumbrada
a co-depender
de gente
para recuperar aquello
que crees que te falta

quién te ha engañado
para que creas
que otra persona
está hecha para completarte
cuando lo máximo que pueden hacer es complementarte

no busques la cura
en los pies de aquellos
que te rompieron

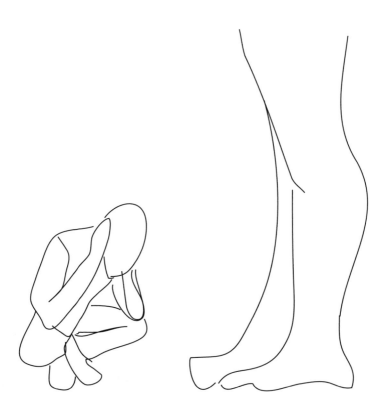

si naciste con
la fragilidad de caer
naciste con
la fuerza de levantarte

quizá los más tristes
sean aquellos que viven esperando
a alguien que no
saben si existe

– *siete mil millones de personas*

resiste con fuerza tu dolor
planta flores en él
me has ayudado
a que crezcan flores en mí así que
florece con belleza
con peligro
con fuerza
florece con suavidad
aunque lo que necesites
sea sólo florecer

– a quien me lee

agradezco al universo
por coger
todo lo que ha cogido
y darme
todo lo que me ha dado

– *equilibrio*

conlleva elegancia
seguir siendo amable
en situaciones crueles

enamórate
de
tu soledad

hay una diferencia entre
alguien que te dice
que te quiere
y cuando de verdad
te quieren

a veces
la disculpa
nunca llega
cuando se necesita

y cuando llega
ni se quiere
ni se necesita

– vienes demasiado tarde

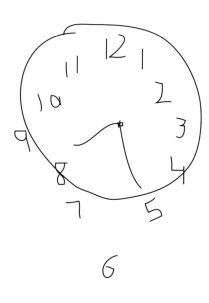

me dices
que no soy como la mayoría de las chicas
y aprendes a besarme con los ojos cerrados
algo sobre la frase —algo sobre
que tengo que ser distinta a las mujeres
que llamo hermanas para que me quieran—
me da ganas de escupirte en la lengua
como si tuviera que estar orgullosa de que me escogieras
como si debiera aliviarme que pienses
que soy mejor que ellas

la próxima vez
que te diga
que te está creciendo
el pelo de las piernas recuérdale
a ese chico que tu cuerpo
no es su casa
es un invitado
avísale de que
nunca vuelva a ir más allá
de su bienvenida

ser
tierna
es
ser
poderosa

mereces que te
encuentren por completo
en tus alrededores
no perderte en ellos

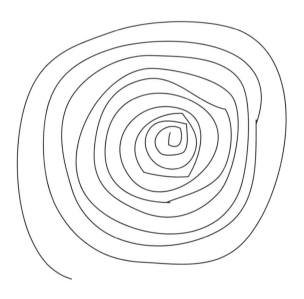

sé que es difícil
créeme
sé cómo se siente
mañana nunca llegará
y hoy será el día
más difícil de superar
pero te juro que lo conseguirás
el dolor pasará
como siempre hace
si le das tiempo y
le dejas así que déjale
irse
despacio
como una promesa rota
déjale irse

me gusta el modo en el que las estrías
de mis muslos me hacen humana y
que somos tiernas pero
duras y salvajes
cuando necesitamos serlo
eso es lo que me encanta de nosotras
lo capaces que somos de sentir
lo poco que tememos rompernos
y mostramos nuestras heridas con elegancia
el simple hecho de ser una mujer
llamándome a mí misma
mujer
me hace sentir totalmente entera
y completa

mi problema con lo que se considera bello
es que su concepto de belleza
se centra en excluir a gente
encuentro belleza en el pelo
cuando una mujer lo tiene
como un jardín en su piel
ésa es la definición de belleza
narices corvas y grandes
señalando al cielo
como si se levantaran
para la ocasión
piel del color de la tierra
en la que mis antepasados plantaron maíz
para alimentar a un linaje de mujeres con
muslos gruesos como los troncos de los árboles
ojos como almendras
cubiertos de profunda convicción
los ríos del punyab
corriendo a través de mi sangre así que
no me digas que mis mujeres
no son tan preciosas
como las que hay
en tu país

nuestras espaldas
cuentan historias
que ningún libro ha tenido
las agallas
de contar

— *mujeres de color*

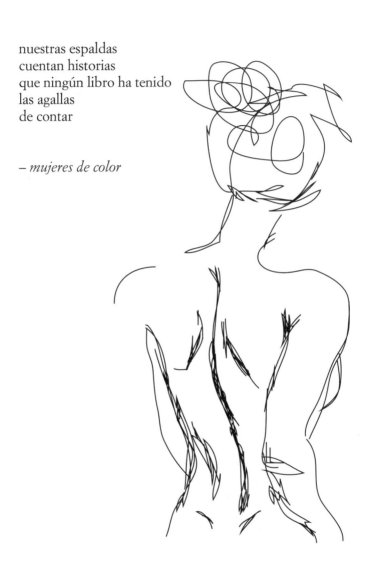

acéptate a ti misma
tal y como fuiste creada

tu cuerpo
es un museo
de desastres naturales
puedes entender
lo espectacular que es eso

perderte
fue el comienzo
de mí misma

los cuerpos de otras mujeres
no son nuestros campos de batalla

quitarte todo el pelo
del cuerpo está bien
si es lo que quieres hacer
igual que dejarte pelo
por todo el cuerpo está bien
si es lo que quieres hacer

– sólo te perteneces a ti misma

en apariencia no es elegante por mi parte
mencionar mi regla en público
porque la biología de mi cuerpo
hoy en día es demasiado real

está mejor vender qué hay
entre las piernas de una mujer
que mencionar
su funcionamiento interno

el uso lúdico
de este cuerpo se ve como
algo bonito mientras que
su naturaleza
se ve como algo feo

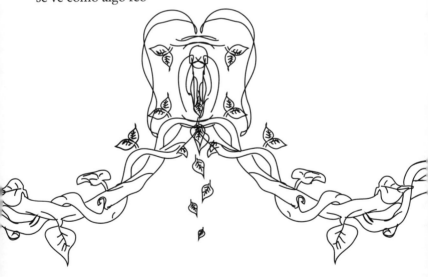

eras un dragón mucho antes
de que llegara y dijera
que podías volar

seguirás siendo un dragón
mucho después de que se vaya

quiero disculparme con todas esas mujeres
a las que he llamado guapas
antes de llamarlas inteligentes o valientes
siento que sonara como algo tan simple
como si aquello con lo que has nacido
fuera de lo que tienes que estar más orgullosa cuando tu
espíritu ha aplastado montañas
a partir de ahora diré cosas como
eres fuerte o *eres extraordinaria*
no porque no piense que eres guapa
sino porque creo que eres mucho más que eso

tengo
lo que tengo
y soy feliz

he perdido
lo que he perdido
y sigo
siendo
feliz

– *perspectiva*

me miras y sollozas
todo duele

te abrazo y susurro
pero todo puede curarse

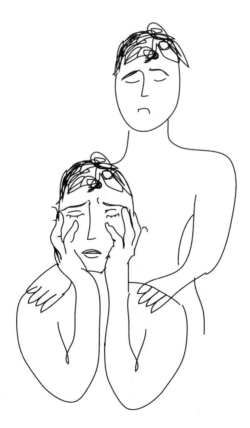

si el dolor llega
también lo hará la felicidad

– *sé paciente*

todas nacemos
siendo preciosas

lo más trágico es
que nos convenzan de que no lo somos

el nombre kaur
me convierte en una mujer libre
elimina las cadenas que
intentan atarme
me eleva
para recordarme que soy igual
que cualquier hombre aunque el estado
de este mundo me grite que no lo soy
que soy mi propia mujer y
que pertenezco por completo a mí misma
y al universo
me pone en mi lugar
me grita y dice que tengo
un deber universal que compartir
con la humanidad para alimentar
y servir a mis hermanas
para levantar a aquellas que necesitan que las levanten
el nombre kaur corre por mi sangre
estaba en mí antes de que el mundo existiera
es mi identidad y mi liberación

— *kaur*
una mujer de sikhi

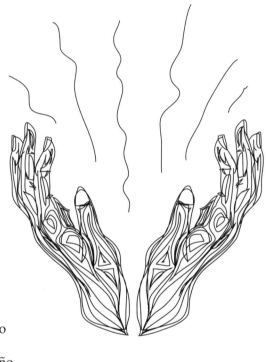

el mundo
te hace
tanto daño
y aquí estás
extrayendo oro de él

– *no hay nada más puro que eso*

cómo te quieres a ti misma es
la manera en la que enseñas a otros
a quererte

mi corazón desea hermanas más que cualquier cosa
desea mujeres que ayudan a las mujeres
como las flores desean la primavera

la diosa que hay entre tus piernas
hace las bocas agua

eres
tu propia
alma gemela

algunas personas
están tan amargadas

con ellas
debes ser más amable

todas seguimos adelante cuando
admitimos lo fuertes
e impresionantes que son las mujeres
de nuestro alrededor

que veas belleza aquí
no quiere decir
que haya belleza en mí
quiere decir que hay belleza arraigada
tan dentro de ti
que no puedes evitar
verla en todas partes

el pelo
si no tuviera que estar ahí
para empezar
no crecería en nuestros cuerpos

*– estamos en guerra con aquello que llega a nosotras de
manera natural*

ante todo ama
como si fuera lo único que sabes hacer
al final del día todo esto
no significa nada
esta página
dónde estás sentada
tu carrera
tu trabajo
el dinero
nada importa
excepto el amor y la conexión humana
a quiénes amaste
y lo mucho que lo hiciste
cómo tocaste a la gente de tu alrededor
y cuánto les diste

quiero quedarme
arraigada a la tierra
estas lágrimas
estas manos
estos pies
hundirme

– en tierra

tienes que dejar
de buscar un porqué en algún momento
tienes que olvidarlo

si no eres suficiente para ti misma
nunca serás suficiente
para otra persona

debes
querer pasar
el resto de tu vida
contigo
primero

por supuesto quiero triunfar
pero no deseo el éxito para mí
necesito triunfar para ganar
suficiente leche y miel
para ayudar a triunfar a los
que están a mi lado

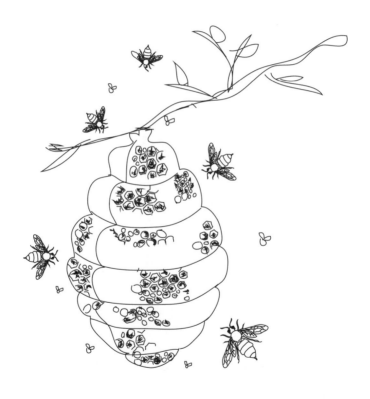

mi corazón se acelera
al pensar en el nacimiento de los poemas
por eso nunca dejaré
de abrirme para concebirlos
hacer el amor
con las palabras
es tan erótico
estoy enamorada
o adicta
a la escritura
o ambas cosas

lo que más me asusta es cómo echamos
espuma por la boca cuando envidiamos
el éxito de los otros
pero suspiramos aliviados
cuando caen

está demostrado que
nuestra lucha para
celebrarnos es lo más difícil
de ser humano

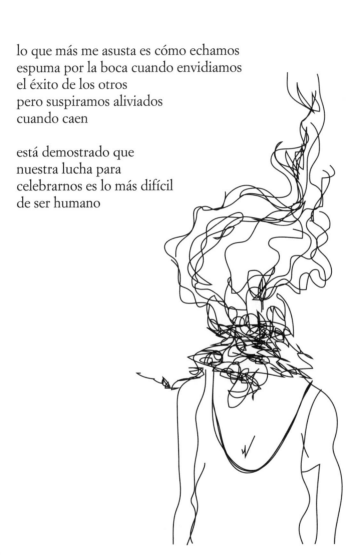

tu arte
no consiste en la cantidad de gente
a la que le gusta tu trabajo
tu arte
consiste
en si a tu corazón le gusta tu trabajo
si a tu alma le gusta tu trabajo
consiste en lo sincera
que eres contigo misma
y
nunca debes
cambiar la honestidad
por el reconocimiento

– a cualquier poeta joven

da a aquellos
que no tienen nada
que darte a ti

– *seva (servicio altruista)*

me abres
de la manera más sincera
que se puede
abrir un alma
y me obligas a escribir
en un momento en el que estaba segura
de que no podría volver a escribir

– *gracias*

has llegado hasta el final. con mi corazón en tus manos. gracias. por llegar a salvo hasta aquí. por tu ternura con mi parte más delicada. siéntate. respira. debes de estar cansado. déjame besarte las manos. los ojos. seguro que tienen ganas de algo dulce. te voy a mandar todo mi azúcar. no estaría en ningún sitio ni sería nada si no fuera por ti. me has ayudado a convertirme en la mujer que quería. pero que me daba demasiado miedo ser. te haces una idea de lo milagroso que eres. lo bonito que ha sido. y lo bonito que será. me arrodillo ante ti dándote las gracias. les mando a tus ojos todo mi amor. que siempre vean la bondad en la gente. que siempre seas amable. que siempre veamos al otro como uno. que no nos quedemos cortos amando todo lo que el universo tiene que ofrecernos. que siempre nos mantengamos con los pies en la tierra. arraigados. los pies plantados con firmeza en el mundo.

– una carta de amor de mí para ti

rupi kaur es una escritora y artista afincada en toronto, canadá. a través de su poesía y sus ilustraciones trata temas como el amor, la pérdida, el trauma, la curación y la feminidad. comparte su escritura con el mundo como un medio para crear una zona segura para una curación progresiva y para seguir adelante. su dirección creativa y su fotografía han traspasado fronteras internacionales y ha aparecido en galerías, revistas y espacios de todo el mundo. cuando no está escribiendo o creando arte, viaja para hacer recitales al tiempo que organiza cursos de escritura. puedes conocer más de su trabajo en: www.rupikaur.com

– sobre la autora

otras maneras de usar la boca es un
poemario sobre
amor
pérdida
trauma
abuso
curación
y feminidad
está dividido en cuatro capítulos
cada capítulo tiene un fin distinto
trata con un dolor distinto
cura una pena distinta
otras maneras de usar la boca lleva a quien lo lee a través
de un viaje por los momentos más amargos de la vida
y encuentra dulzura en ellos
porque hay dulzura en todas partes
si decides buscarla

– *sobre el libro*